Mi forma de alejar la ira

A todos mis pequeños lectores. Vosotros sois el motivo por el que he escrito este libro. Gracias a vosotros.

Libro de Elizabeth Cole

Este libro pertenece a

....

....

Melissa era una niña que en la calle Cerezos vivía.
Otra pequeña dulce como ella, nunca encontrarías.

Mas en cada niño, la ira puede llegar a surgir.
Hasta en Melissa, que es amable y suele sonreír.

Un día, Melissa comer algo dulce anheló.
Pero a comer sus verduras y carne se negó.
“Primero come verduras sanas para tu pancita,
que después llegará el postre”, le dijo su mamita.

Su dulce rostro se encrespaba,
y su sonrisa de a poco se borraba.
Entrecerró los ojos y puso cara de descontento,
mientras sentía surgir su ira en ese momento.

Su hermano, un pequeñín con prisa,
tiró y rompió el juguete de Melissa.
Ella sintió que su ira comenzó a aumentar;
estalló y no pudo evitar el comenzar a gritar.

"¡Qué mal te portas, no lo puedes negar!
¡Contigo ahora no quiero volver a jugar!"
Melissa se puso roja y se enfadó,
a su habitación furiosa se marchó.

Z
Z
Z

La niña a su osito fuerte abrazó,
y una dulce noche le deseó.
El sueño los llevó muy lejos a volar,
al fondo de una bahía, difícil de hallar.

En la senda, con un tiburón se toparon,
pero se atemorizaron y no le hablaron.
El tiburón le dijo: "¡Qué hermosa que eres!
Pero qué lástima que fruncido el ceño tienes".

"¡Mi hermano el juguete me ha roto!
¡Vaya niño travieso, menudo alboroto!
¡Si eso mismo te ocurriera a ti,
seguro también te enfadarías así!"

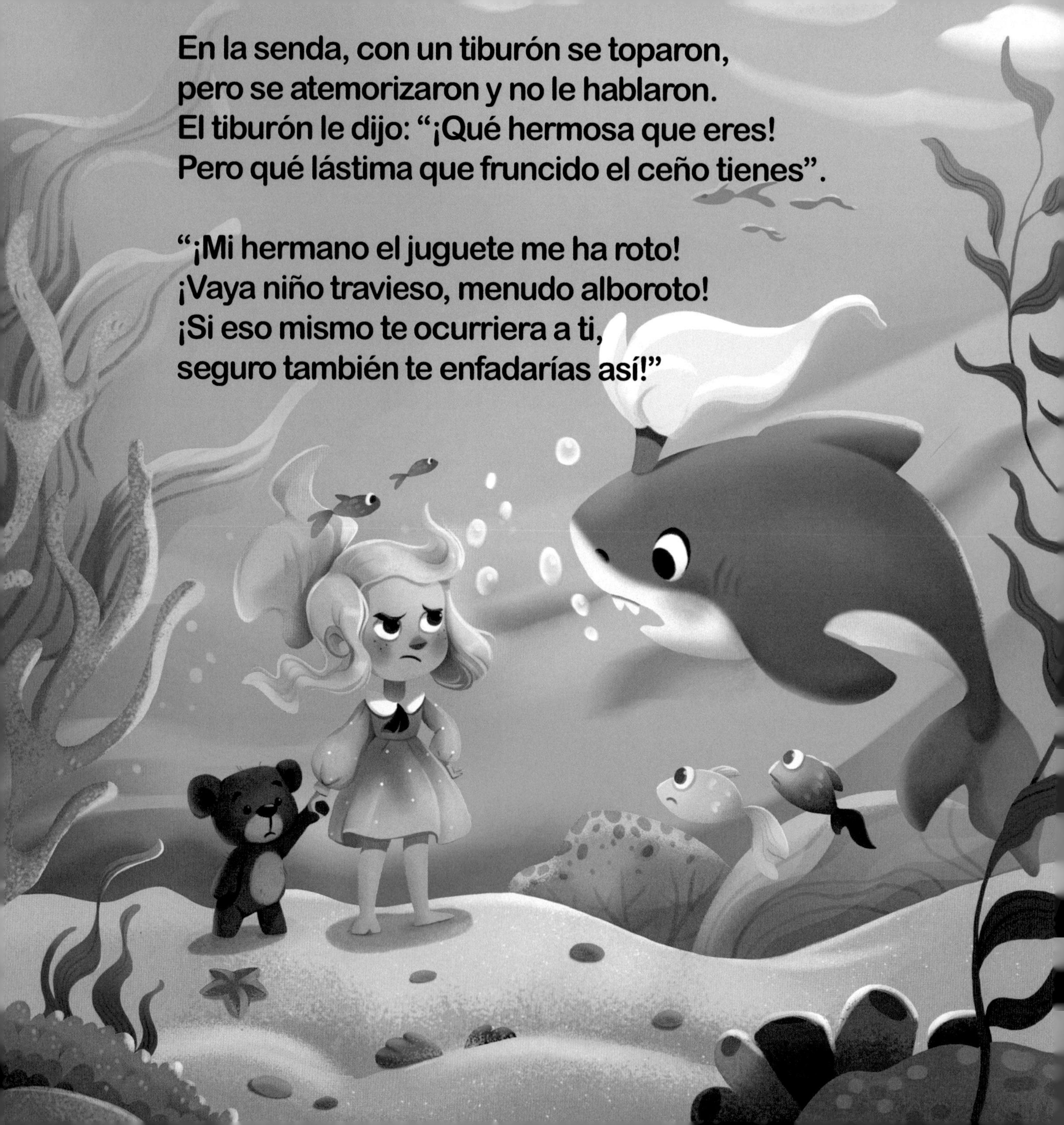

“Yo ya estoy enfadado”, el tiburón declaró.
“Al parque no voy porque mi mami no me dejó”.
Me dice: “¡Los deberes, luego a jugar!
Pero mi canción el enfado hará apartar”.

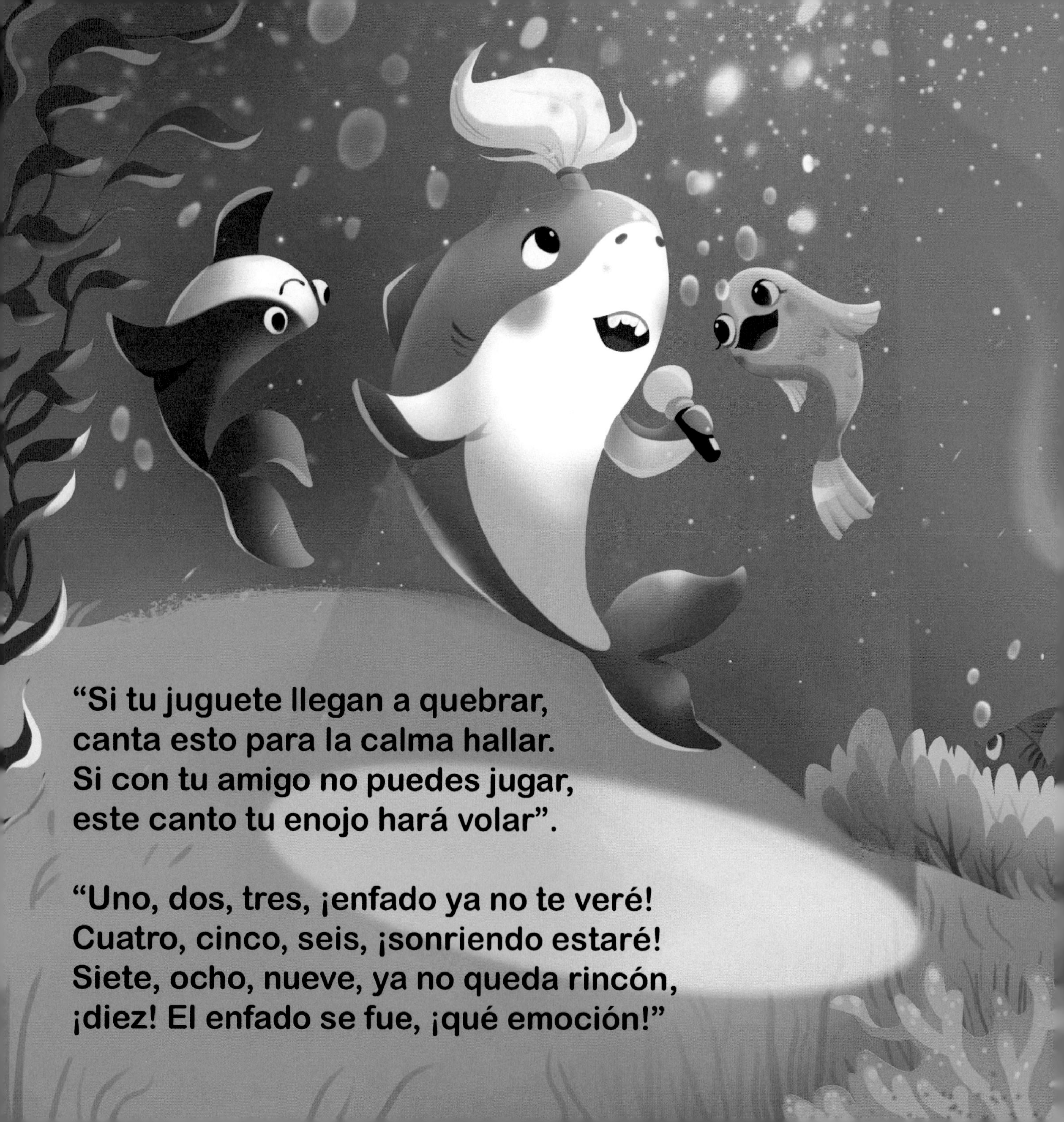

“Si tu juguete llegan a quebrar,
canta esto para la calma hallar.
Si con tu amigo no puedes jugar,
este canto tu enojo hará volar”.

“Uno, dos, tres, ¡enfado ya no te veré!
Cuatro, cinco, seis, ¡sonriendo estaré!
Siete, ocho, nueve, ya no queda rincón,
¡diez! El enfado se fue, ¡qué emoción!”

Melissa junto a su peluche cantó.
Enfrentó al enfado y feliz entonó.
Sus mejillas ya rojas no parecían estar,
la pequeña niña ahora se pudo calmar.

La tortuga le dijo: “¡Yo te ayudaré!
Como tú, ese sentimiento experimenté.
Me enfadé cuando la carrera no pude ganar.
Tropecé y sólo el tercer puesto pude ocupar”.

“Pero ahora tengo mi forma especial.
¡Respiro profundo para la ira alejar!
Cuando siento que voy a estallar,
hago esto, ¡y tú lo debes intentar!”

“Toma aire lentamente contando hasta tres.
Retén el aire: uno, dos, tal como me ves.
Luego de tres, suelta el aire sin cesar,
y verás tu enfado en el pasado quedar”.

El consejo de la tortuga Melissa siguió,
y el enfado en su pecho disminuyó.
Melissa y Teddy siguieron con paso sereno,
hasta que se encontraron con un cangrejo.

"Si mis amigos no comparten me irrito".
Le dijo el pequeño cangrejo al osito.
"Pero tengo una forma sin comparación.
Hago ejercicio o salgo de excursión".

Teddy dijo: “¡Primero, sentadillas! ¡Haz diez!
Luego, ¡corre, salta y brinca! ¡Hazlo otra vez!”

Melissa aumentó su paso sin vacilación,
y se desvaneció su enojada expresión.

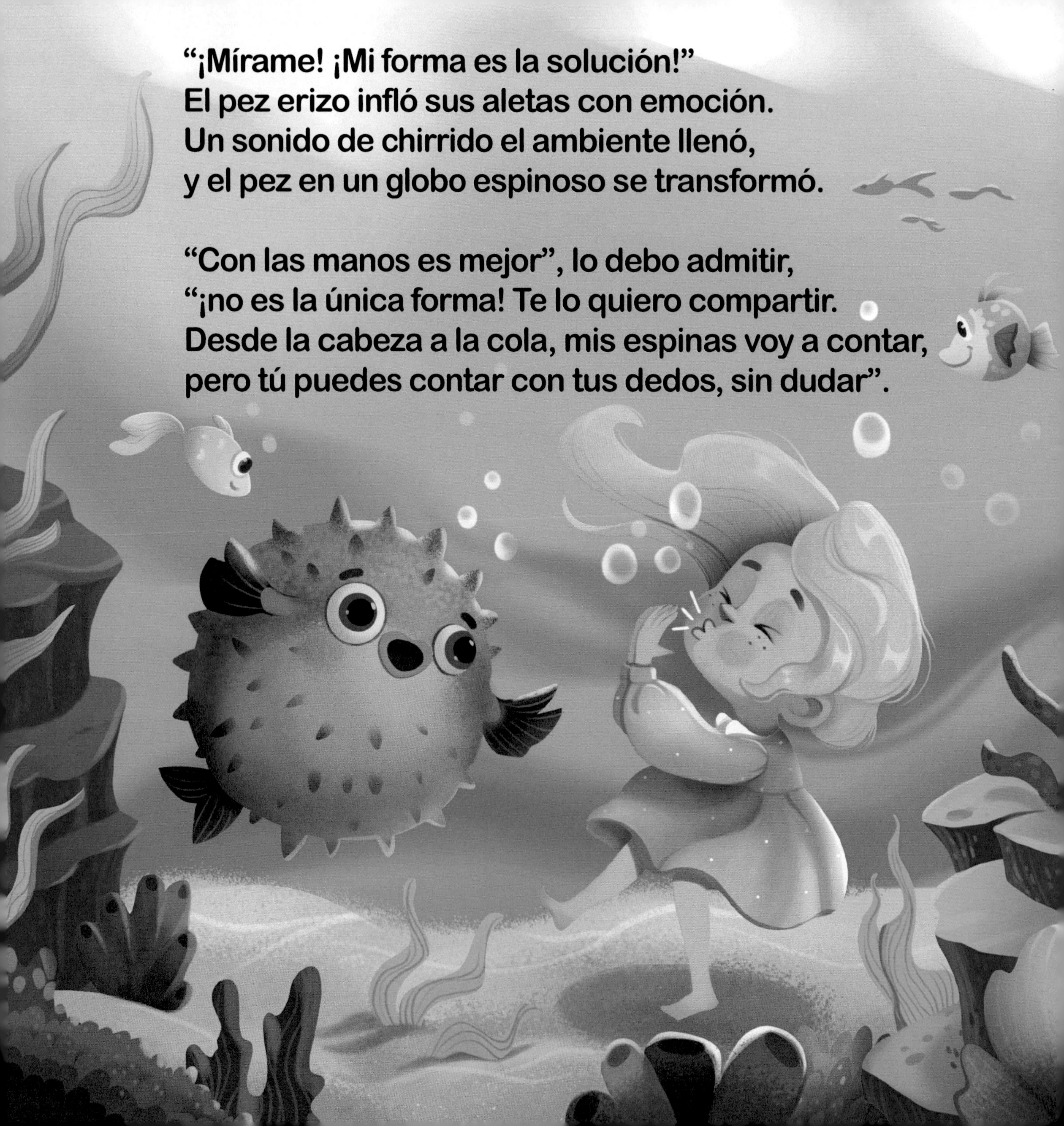

"¡Mírame! ¡Mi forma es la solución!"
El pez erizo infló sus aletas con emoción.
Un sonido de chirrido el ambiente llenó,
y el pez en un globo espinoso se transformó.

"Con las manos es mejor", lo debo admitir,
"¡no es la única forma! Te lo quiero compartir.
Desde la cabeza a la cola, mis espinas voy a contar,
pero tú puedes contar con tus dedos, sin dudar".

Melissa contó sus dedos, del uno al diez,
luego los tocó uno a uno, todos otra vez.
Y una vez que a su último dedo llegó,
ella dijo: “¡Adiós a la ira y al rencor!”

Sin más enfado, Melissa se despertó.
Tomó a su osito y al pasillo salió.
A su mamá, con cariño la abrazó,
y le dijo: “Lo siento. Tenías razón”.

Besó a su hermanito, suave en la frente.
“Tengo otro juguete”, le dijo sonriente.
“Con gusto jugaré nuevamente contigo,
escóndete, ¡voy a contar ahora mismo!”

A todos nos puede la ira alcanzar,
¡pero en ti no la debes dejar anclar!
Cuando la sientas, busca la manera,
para que tu ira se esfume, ¡y fuera!

5 4 3 2 1

TÉCNICA DE CONEXIÓN A TIERRA

1 cosas que puedes VER

2 cosas que puedes SENTIR (o TOCAR)

3 cosas que puedes OÍR

4 cosas que puedes OLER

5 cosas que puedes GUSTAR

Querido pequeño lector,
¿te has enfadado alguna vez? ¿Lo has hecho?
Pues déjame contarte un secreto: ¡yo también!

¿Y te gustaba enfadarte? A mí no. Sólo quería hacer desaparecer el enfado y volver a sentirme tranquila y feliz. Si a ti te pasa lo mismo, la próxima vez que te enfades, podrías probar alguna de las formas que sugieren nuestros animales marinos en este cuento. ¡Te ayudará! ¡Lo sé porque a mí me ayuda siempre! Yo prefiero la manera del pez erizo. ¿Y tú?

Me encantaría saber qué piensas de este libro. Me ayudará mucho mientras escribo el siguiente. Sí, ¡habrá otro libro! Habrá muchos libros que esperar y leer. ¿Puedes adivinar adónde la llevará el sueño de Melissa la próxima vez? ¿Cómo se sentiría? Si me cuentas tu idea, quién sabe, puede que leas sobre ella en uno de los próximos libros. ¿No sería fantástico?

¡Me hace mucha ilusión saber de ti! Puedes escribirme a
elizabethcole.author@gmail.com o visitar www.ecole-author.com.
¡Tu opinión significa mucho para mí!
Puedes dejar tu valoración sobre este libro aquí:

Con amor,
Elizabeth Cole

¡Escanea el código QR de abajo y consigue una página para colorear!

Made in United States
Orlando, FL
15 March 2024